O GRÚFALO

JULIA DONALDSON

ILUSTRADO POR AXEL SCHEFFLER

TRADUÇÃO: GILDA DE AQUINO

23ª REIMPRESSÃO

BRINQUE·BOOK

UM RATINHO FOI PASSEAR NA FLORESTA ESCURA.

A RAPOSA VIU O RATINHO E O ACHOU APETITOSO.

– AONDE VOCÊ VAI? – PERGUNTOU A RAPOSA, COM BRANDURA.

– VENHA ALMOÇAR COMIGO, FAÇO UM ALMOÇO GOSTOSO.

– QUANTA GENTILEZA, RAPOSA, MAS NÃO POSSO ACEITAR.

JÁ MARQUEI COM UM GRÚFALO PARA ALMOÇAR.

– UM GRÚFALO? O QUE É UM GRÚFALO?

– VOCÊ NÃO CONHECE? UM GRÚFALO!

ELE TEM PRESAS INCRÍVEIS   E GARRAS TERRÍVEIS

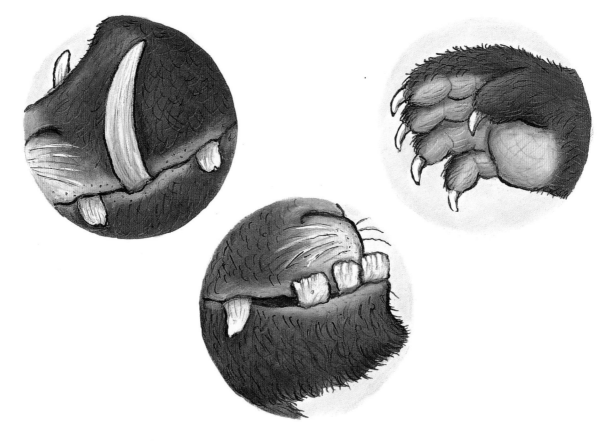

E, EM SUA BOCA, DENTES HORRÍVEIS.

– E ONDE VOCÊS VÃO SE ENCONTRAR?

– PERTO DESTAS PEDRAS É O LUGAR,

E SUA COMIDA FAVORITA É RAPOSA FRITA.

— RAPOSA FRITA? ESTOU FORA! — A RAPOSA FALOU.

— ADEUS, RATINHO. JÁ ME VOU!

— RAPOSA BOBA! SERÁ QUE NÃO SABE

QUE GRÚFALO NÃO EXISTE?

E LÁ SE FOI O RATINHO, CAMINHANDO PELA FLORESTA.

UMA CORUJA VIU O RATINHO, QUE LHE PARECEU APETITOSO.

– AONDE VOCÊ VAI, RATINHO MIMOSO?

VENHA LANCHAR EM MINHA CASA, VAI SER UMA FESTA!

– MUITO OBRIGADO, CORUJA, MAS NÃO POSSO ACEITAR.

VOU ME ENCONTRAR COM UM GRÚFALO PARA LANCHAR.

– UM GRÚFALO? O QUE É UM GRÚFALO?

– VOCÊ NÃO CONHECE? UM GRÚFALO!

ELE TEM PERNAS OSSUDAS   E PATAS PELUDAS

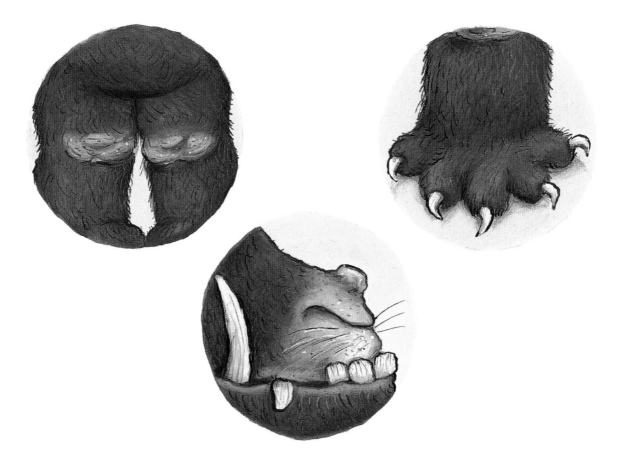

E, NA PONTA DO NARIZ, UMA VERRUGA CABELUDA.

– E ONDE VOCÊS VÃO SE ENCONTRAR?

– NA BEIRA DESTE RIO É O LUGAR,

E SORVETE DE CORUJA É O QUE ELE GOSTA DE TOMAR.

– SORVETE DE CORUJA? UHU, UHU, UHU!

ADEUS, RATINHO! – E A CORUJA BATEU ASAS E VOOU.

– CORUJA BOBA! SERÁ QUE NÃO SABE

QUE GRÚFALO NÃO EXISTE?

E LÁ SE FOI O RATINHO, PELA FLORESTA A CAMINHAR.

UMA COBRA VIU O RATINHO E O ACHOU APETITOSO.

– AONDE VOCÊ VAI, RATINHO MIMOSO?

VENHA ATÉ MINHA CASA E VAMOS FESTEJAR.

– AGRADEÇO MUITO, COBRA, MAS NÃO POSSO ACEITAR.

JÁ COMBINEI COM UM GRÚFALO DE COMEMORAR.

– UM GRÚFALO? O QUE É UM GRÚFALO?

– VOCÊ NÃO CONHECE? UM GRÚFALO!

SEUS OLHOS SÃO ALARANJADOS,   SUA LÍNGUA É PRETA

E TEM ESPINHOS PELAS COSTAS ESPETADOS.

— E ONDE VOCÊS VÃO SE ENCONTRAR?

— NESTE LAGO, BEM NESTA BEIRADA,

E SEU PRATO PREFERIDO É COBRA ASSADA.

– COBRA ASSADA? É HORA DE ME ESCONDER!

ADEUS, RATINHO! – E LÁ SE FOI ELA, SEM MAIS DIZER.

– COBRA BOBA! SERÁ QUE NÃO SABE

QUE GRÚFALO NÃO EXISTE?

OPA!

MAS QUE CRIATURA É ESSA COM PRESAS INCRÍVEIS,

GARRAS TERRÍVEIS E DENTES HORRÍVEIS?

DE PERNAS OSSUDAS, PATAS PELUDAS

E, NA PONTA DO NARIZ, UMA VERRUGA CABELUDA?

COM OLHOS ALARANJADOS, UMA LÍNGUA PRETA

E ESPINHOS PELAS COSTAS ESPETADOS?

– OH, SOCORRO! OH, NÃO!

É UM GRÚFALO!

– MINHA COMIDA PREFERIDA – DISSE O GRÚFALO, ENTÃO.

– VAI FICAR GOSTOSO NO MEIO DO PÃO.

– GOSTOSO!?! – EXCLAMOU O RATINHO. – NÃO ME CHAME DE GOSTOSO!

DAS CRIATURAS DA FLORESTA, SOU O MAIS PERIGOSO.

SIGA-ME E LOGO VERÁ, ISSO SIM,

QUE TODOS AQUI TÊM MEDO DE MIM.

– TUDO BEM – DISSE O GRÚFALO, RINDO.

– VÁ EM FRENTE QUE EU TAMBÉM ESTOU INDO.

CAMINHARAM ALGUM TEMPO ATÉ QUE O GRÚFALO FALOU:

– OUÇO UM BARULHO AÍ NA FRENTE, VOCÊ ESCUTOU?

— É A COBRA – DISSE O RATINHO. — OI, COBRA – FALOU DE MANSINHO.

A COBRA OLHOU PARA O GRÚFALO E TREMEU.

— NOSSA! – EXCLAMOU. – ADEUS, RATINHO.

FOI EMBORA DEPRESSA E SE ESCONDEU.

– VIU SÓ? – DISSE O RATINHO, TODO ORGULHOSO.

E O GRÚFALO FALOU, ABISMADO: – ESPANTOSO!

CAMINHARAM MAIS UM POUCO ATÉ QUE O GRÚFALO FALOU:

– OUÇO UM PIAR NAS ÁRVORES, VOCÊ ESCUTOU?

— É A CORUJA — DISSE O RATINHO. — OI, CORUJA — FALOU DE MANSINHO.

A CORUJA OLHOU PARA O GRÚFALO, ESPANTADA.

— NOSSA! — FALOU. — ADEUS, RATINHO.

E VOOU PARA SUA CASA, EM DISPARADA.

– VIU SÓ? – DISSE O RATINHO, CONTENTE.

E O GRÚFALO FALOU, ESPANTADO: – SURPREENDENTE!

SEGUIRAM ADIANTE ATÉ QUE O GRÚFALO FALOU:

– OUÇO PASSOS À FRENTE, VOCÊ ESCUTOU?

— É A RAPOSA — DISSE O RATINHO. — OI, RAPOSA — FALOU, DE MANSINHO.

AO VER O GRÚFALO, A RAPOSA ESTANCOU.

— SOCORRO! — GRITOU. — ADEUS, RATINHO.

E, FUGINDO, COM MEDO, EM SUA TOCA ENTROU.

– BEM, GRÚFALO – DISSE O RATINHO –, DEU PARA VER?

TODO MUNDO FOGE DE MIM, ASSUSTADO.

MAS AGORA MINHA BARRIGA ESTÁ COMEÇANDO A DOER,

E MEU PRATO PREDILETO É GRÚFALO ENSOPADO!

– O QUÊ? GRÚFALO ENSOPADO?

E ASSIM DIZENDO, ELE FUGIU, APAVORADO.

TUDO SE ACALMOU NA FLORESTA FRONDOSA.

O RATINHO ACHOU UMA NOZ QUE ESTAVA MUITO GOSTOSA.

JULIA DONALDSON NASCEU EM 16 DE SETEMBRO DE 1948 EM LONDRES, NA INGLATERRA. ESTUDOU DRAMATURGIA E FRANCÊS EM BRISTOL.

É AUTORA DE DIVERSOS LIVROS INFANTIS E JUVENIS DE GRANDE SUCESSO. TAMBÉM ESCREVEU CANÇÕES E PEÇAS DE TEATRO PARA CRIANÇAS, ALÉM DE DIRIGIR *WORKSHOPS* DE CONTADORES DE HISTÓRIAS. ELA MORA NA ESCÓCIA, COM A FAMÍLIA. SOBRE O PERSONAGEM ELA DIZ: "A IDEIA ORIGINAL DE *O GRÚFALO* ERA UMA LENDA FOLCLÓRICA QUE INCLUÍA UM TIGRE, MAS NÃO HAVIA COMBINAÇÃO COM MINHAS RIMAS: ENTÃO CRIEI O GRÚFALO".

LEIA TAMBÉM:

AXEL SCHEFFLER NASCEU EM HAMBURGO, ALEMANHA, E ESTUDOU HISTÓRIA DA ARTE NA UNIVERSIDADE, ANTES DE SE MUDAR PARA A INGLATERRA, EM 1982, ONDE CURSOU COMUNICAÇÃO VISUAL NA ACADEMIA DE ARTE DE BATH. TERMINADOS OS ESTUDOS, COMEÇOU A ILUSTRAR LIVROS. LOGO SEUS TRABALHOS FORAM PUBLICADOS EM VÁRIOS PAÍSES.

ATUALMENTE, PARTICIPA DE DIVERSAS EXPOSIÇÕES, MOSTRAS E FEIRAS. COM SEU ESTILO ÚNICO DE ILUSTRAÇÃO, AXEL JÁ TEVE SEUS LIVROS PUBLICADOS EM MAIS DE VINTE IDIOMAS E JÁ GANHOU VÁRIOS PRÊMIOS.

GILDA DE AQUINO NASCEU EM 1935, NO RIO DE JANEIRO. FORMOU-SE EM LETRAS ANGLO-GERMÂNICAS NA PUC-RJ. FEZ MESTRADO EM LINGUÍSTICA NA UNIVERSIDADE DE WASHINGTON, NOS ESTADOS UNIDOS. COLABOROU COM A ÚNICA TRADUÇÃO PARA O INGLÊS DE *MACUNAÍMA*, PUBLICADA EM 1984 PELA RANDOM HOUSE. JÁ TRADUZIU MAIS DE 200 TÍTULOS DA BRINQUE-BOOK, MUITOS DELES GANHARAM PRÊMIOS DE MELHOR TRADUÇÃO DA FNLIJ. É AUTORA DE *BRINQUE-BOOK COM AS CRIANÇAS NA COZINHA* E *POR QUE O CÉU CHORA?*.